À pas de loup

J'apprends à lire avec
Papa

Dominique et Compagnie

Catalogage avant publication de
Bibliothèque et Archives nationales du Québec
et Bibliothèque et Archives Canada

St-Aubin, Bruno
J'apprends à lire avec Papa
(À pas de loup. Premiers pas)
Publ. à l'origine en volumes séparés.
Sommaire : Papa est un pirate ; Papa est un castor bricoleur ;
Papa est un extraterrestre ; Papa est un dragon.
Pour enfants.

ISBN 978-2-89686-014-2

I. Titre. II. Collection: À pas de loup. Premiers pas.

PS8587.A255J36 2011   jC843'.54   C2010-942353-4
PS9587.A255J36 2011

Directrice de collection : Carole Tremblay
Conception graphique : Primeau Barey

Dépôt légal : 2e trimestre 2011
Bibliothèque et Archives nationales du Québec
Bibliothèque nationale du Canada

Dominique et compagnie
300, rue Arran, Saint-Lambert (Québec)
Canada J4R 1K5
Téléphone : 514 875-0327
Télécopieur : 450 672-5448
Courriel : dominiqueetcie@editionsheritage.com
www.dominiqueetcompagnie.com

Imprimé au Chine

Nous remercions le Conseil des Arts du Canada de
l'aide accordée à notre programme de publication.

Nous reconnaissons l'aide financière du gouvernement du Canada par
l'entremise du Fonds du livre du Canada pour nos activités d'édition.

Nous reconnaissons l'aide financière du gouvernement du
Québec par l'entremise du Programme de crédit d'impôt pour
l'édition de livres – SODEC – et du Programme d'aide aux
entreprises du livre et de l'édition spécialisée.

À pas de loup

Papa est un pirate

Texte et illustrations:
Bruno St-Aubin

Papa en a assez de rester à la maison.

Tout le monde à bord !
Nous levons l'ancre en direction de la mer.

Le voyage est houleux.

Ma mère et moi avons le mal de terre…

Après d'interminables heures de voiture,
on aperçoit enfin la mer.

La maison que papa a louée sent le varech.
Il y a de l'eau dans la cale.

Papa installe son hamac.
Il va enfin pouvoir dormir.

Les habitants de la région viennent
lui souhaiter la bienvenue.

Pendant sa sieste, nous jouons
gentiment avec les mouettes.

Papa va être content.
On s'est fait beaucoup d'amis.

Papa va se laver dans la mer.

C'est à son tour de se faire des amis.

La baignade lui a ouvert l'appétit.
Il décide de cuisiner ses nouveaux amis…

Le résultat est délicieux !

Après le repas, un perroquet se met
à rôder autour de papa.

Le perroquet le suit partout. Il répète
tout ce que papa dit.

Il imite même ses ronflements.

Papa en a assez.
Il déclare que la chasse est ouverte.

Une fois l'ennemi capturé, papa exige
de se faire servir une boisson fraîche.

Nous lui préparons un supercocktail...

Papa ne nous remercie pas.

Il nous fait laver le pont du bateau
avec nos brosses à dents.

Papa s'énerve encore plus.
Il est vraiment trop irritable.

Il veut nous faire subir
le supplice de la planche.

C'en est trop !

Nous préparons une mutinerie.

Après une bonne nuit de sommeil,
notre papa pirate va beaucoup mieux.

Nous sommes redevenus ses trésors.
Pour fêter ça…

... il nous enterre dans le sable !

À pas de loup

Papa est un castor bricoleur

Texte et illustrations :
Bruno St-Aubin

Dominique et compagnie

Avant, papa ressemblait à un dinosaure.

Il était un peu bizarre…
mais surtout très drôle !

Maintenant, on dirait un vrai castor.

Il bricole sans arrêt.

Maman, elle, trouve ça très commode.

Il rafistole toutes sortes de babioles.

L'été, papa nous construit des cabanes.

L'hiver, il nous fabrique des igloos.

Nous, on veut jouer avec lui.

Mais rien à faire, il est trop occupé.

Le soir, papa dévore des
revues de rénovation.

C'est qu'il mijote de gros travaux
de construction.

D'abord, il fait des plans et une maquette.

Mais la supercolle…
ce n'est pas son rayon !

Il est plus doué en électricité.

Il se défrise les cheveux
en un rien de temps.

Quand papa rate un clou,
il devient terrible.

Il nous regarde avec de gros yeux.

Il réussit quand même à réparer
le toit de la maison.

Maintenant, il ne pleut plus
sur le plancher !

Pour remercier papa,
nous l'aidons à désherber le jardin.

Mais il ne faut pas lui parler.
Il est trop occupé.

Il se réfugie dans son atelier…

où il travaille encore et encore !

Nous décidons de bricoler avec lui.

Pauvre papa, ça le stresse encore plus !

Malgré tout, nous aimons bien
les dinosaures et les castors.

Mais nous préférons que
papa s'occupe…

… de nous !

À pas de loup

Papa est un extraterrestre

Texte et illustrations :
Bruno St-Aubin

Moi, j'aime l'école, la soupe au chou
et les vêtements bien rangés.

En plus, j'adore la musique classique et...
mon petit frère !

Tu penses que je ne suis pas normal ?

Attends de voir mon papa !

Depuis son dernier voyage en avion,
il n'est plus le même.

On dirait qu'il vit sur un nuage.

Il laisse tout traîner derrière lui...

Une vraie tornade !

Il raffole des frites et des bonbons
au piment fort.

Pouah !

Il écoute de la musique exo-hip-rap-techno-
pop-machin complètement nulle.

Beurk !

Quand il veut m'aider à faire
mes devoirs...

… il complique toujours tout !

Par moments, maman se décourage.

Surtout quand il accomplit des
tâches ménagères…

Il faut dire que papa aime mieux
faire des courses.

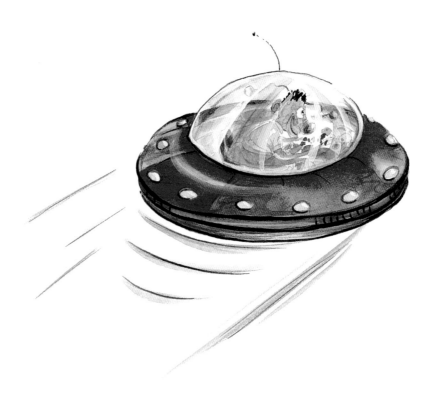

L'autre jour, il s'est acheté
un super-bolide extra-sport.

Puis il m'a rendu visite à l'école.

Quelle honte !

Il a présenté son métier devant
toute la classe. Inventeur de jouets…
C'est ridicule !

Pourtant, tous mes amis l'adorent.

C'est vrai qu'il est un as du ballon.

Sauf dans notre salon !

Papa est désolé.

Pour se faire pardonner,
il se met au lavage.

Il en ressort tout transformé.

Je suis soulagé de le voir enfin un peu
plus normal…

Mais pour combien de temps?

Papa est un dragon

Texte et illustrations : Bruno St-Aubin

Dominique et compagnie

Mon frère et moi, nous sommes
les terreurs du voisinage !

Mais nous ne sommes pas les seules.

Heureusement que papa est là ! Il fait peur
aux chiens juste à les regarder…

Notre chat Lupin, lui, jubile.

Nos voisins disent que nous sommes
des petits monstres.

Et c'est vrai ! Nous sommes même les plus
monstrueux ! RROOUUAH !

Les autres parents n'osent rien dire…
Papa nous protège ! C'est normal.
Nous sommes ses trésors.

Malheureusement, plus personne
ne veut jouer avec nous.

Pour nous divertir,
papa nous emmène en promenade.

D'en haut, la vue est magnifique.

On décide d'aller visiter les cousins.

Mais il n'y a personne à la maison.

Sur le chemin du retour,
papa fait du rase-mottes.

On en profite pour cueillir
quelques fraises au passage.

Aussitôt rentré, papa prend une
douche bien chaude.

Si chaude que les voisins
n'y voient plus rien.

Mais les voisins sont beaucoup
trop polis pour se plaindre.

Ils préfèrent aller faire un tour.

Papa aperçoit des cambrioleurs
qui essaient d'entrer chez nos voisins
pendant leur absence.

Il les chasse à sa manière.

Les policiers apprécient
son formidable coup de feu.

Ils décident même de l'embaucher.

Les voisins, eux, ne savent pas s'ils doivent
le remercier d'avoir chassé les voleurs.

Pour se faire pardonner, papa les invite
à un barbecue.

Comme toujours,
ses hot-dogs sont trop cuits.

Malgré tout, nos voisins
deviennent nos amis.

Ils se sentent en sécurité grâce
au nouveau boulot de papa.

En plus, depuis que papa est policier, les pompiers s'invitent toujours à nos fêtes.

Et ça, c'est vraiment chouette…